# এসো বই পড়ি
## *LET'S READ*

*Written by* Camden Libraries & Information

mantra

## এই বইটির বিষয়ে

পিতা বা মাতা হিসাবে আপনিই আপনার শিশুর জীবনে প্রথম শিক্ষক।

আপনার বাচ্চাকে অতি অল্পবয়স থেকে বই পড়তে সাহায্য করতে পারেন তাকে একসাথে নিয়ে বই পড়ে। অল্পবয়সী বাচ্চারা যারা বাড়ীতে যত্নবান বয়স্ক ব্যক্তির সাথে পড়তে শেখে শীঘ্রই তারা বই ভালবাসতে ও পড়তে ভালবাসতে শেখে এবং বইএর প্রতি তাদের এই ভালবাসা দীর্ঘস্থায়ী হয়।
  এই বইটিতে বলা হয়েছে কী কী উপায়ে বই পড়ার অংশ নিয়ে উভয়েই একসাথে আনন্দ ও মজা পাবেন।

## ABOUT THIS BOOK

**As a parent you are your child's first teacher**.

You can help your child to read by sharing books together from an early age. Young children who read at home with a caring adult will soon develop a love of books and reading which will last for years.

  This book describes some of the ways in which you can share books and make reading fun for both of you.

# CONTENTS

খুব অল্পবয়স থেকেই শুরু করা যেতে পারে

আপনার শিশু আপনার সাথে ছবিওয়ালা বই দেখতে ও আপনার গলার আওয়াজ শুনতে ভালবাসবে। সদ্য হাঁটতে শিখছে এমন শিশুরা ছড়াও একই কথা বারবার উচ্চারণ ভালবাসে। যে গল্প তারা ভালবাসে তা বারবার শুনতে চায়, শুনতে শুনতে শিখে ফেলে। তাদের প্রিয় বইগুলি নিয়ে যেন আপনাকে পড়ে শোনাচ্ছে এইরকম ভাব দেখাতে চায় অথবা গল্পটা বলতে চায়, যে শব্দগুলি তারা জানে, সেগুলি বইএর পাতায় মিলিয়ে আঁকিবুকি কাটতে চায়। এই লক্ষণগুলিই হল পড়তে চাওয়ার প্রথম পদক্ষেপ।

## IT IS NEVER TOO EARLY TO START

Your baby will love looking at picture books with you and listening to the sound of your voice. Toddlers love rhyme and repetition and will soon learn stories which they will want to hear again and again. They will pretend to read their favourite books or want to tell you stories. They may start to match the words they know to squiggles on the page. These are the first steps to reading.

যে কোনো জায়গাতেই বই পড়ার অংশ নিতে পারেন।

মনে রাখবেন বই পড়াটা যেন প্রতিদিনের জীবনযাত্রার একটি অংশ হয়। যখনই ডাক্তার বা ডেন্টিস্ট্এর কাছে যাবেন, গাড়িতে কোথাও যাবার সময়, বাসে বা বন্ধুদের সাথে দেখা করতে গেলে – সবসময় সাথে একটি বই নিয়ে যাবার অভ্যাস করবেন।

## YOU CAN SHARE BOOKS ANYWHERE

Make reading a part of your everyday life. Get into a habit of always taking a book with you when you go to visit the doctor or the dentist, or on trips in the car or on the bus or when you visit friends.

## পড়া মানে শুধু বই পড়াই নয়

শব্দসমষ্টি সবজায়গায়। রাস্তায় নানারকমের নির্দেশ, দোকানের নাম, বাসের নম্বর, প্রাচীরপত্র ও বিজ্ঞাপন দেখা যায়।

বাড়ীতে প্যাকেট ও টিনের গায়ে লেবেল, খবরের কাগজ, পত্রপত্রিকা, চিঠিপত্র এবং কার্ড — এইসবগুলিই পড়তে শিখাবার কাজে ব্যবহার করতে পারেন।

Words are everywhere. On the street there are signs, shop names, bus numbers, posters and advertisements.

At home, there are labels on packets and tins, newspapers and magazines, letters and cards. You can use all of these to help with reading.

# READING IS NOT JUST ABOUT BOOKS

খেলার মাধ্যমে যেমন 'আই স্পাই', অথবা বর্ণমালা দিয়ে তারা যে সমস্ত শব্দ তৈরী করতে চায়, যেমন তাদের নিজেদের নাম — এইভাবে আপনার বাচ্চা বর্ণ ও শব্দগুলি খুব তাড়াতাড়ি শিখে ফেলতে পারে।

বাচ্চারা তাদের নিজেদের বিষয়ে ও তাদের অভিজ্ঞতাগুলি বলতে ভালবাসে। তাই তাদের নিজেদের সম্বন্ধে একটি বই তৈরী করে দিতে সাহায্য করবেন। পড়তে শেখার জন্য এটি একটি মস্তবড় আরম্ভস্থল।

Playing games such as *I Spy*, or using alphabets to make words they are interested in, for example their names, will help your child to learn about letters and words.

Children love talking about themselves and their experiences. So help them to make their own books. This can be a great starting point for reading.

7

# LEARNING TO READ

Children who have shared books from a young age and have listened to other readers will be well on the way to becoming readers themselves. As your child starts reading at school you can help by continuing to read together at home and by talking about the books you have read. Try to read together for at least 20 minutes each day. Listening to your child reading, helping with difficult words and praising their efforts will give them greater confidence. Don't forget, they will still enjoy hearing you read or tell stories.

# পড়তে শেখা

যে সব বাচ্চারা অতি অল্পবয়স থেকে বই পড়ার অংশ নিয়েছে এবং অন্যকে বই পড়তে শুনেছে তারা খুব শীঘ্রই নিজেরাই পড়তে শুরু করে দেয়। আপনার বাচ্চা স্কুলে যখন বই পড়তে আরম্ভ করবে বাড়ীতে আপনি তখন একসাথে বই পড়াটা চালিয়ে যাবেন এবং যে সকল বইগুলি একসাথে পড়েছেন সেইগুলি সম্বন্ধে সবসময়ে কথা বলে যাবেন। প্রতিদিন অন্ততঃ কুড়িমিনিট একসাথে পড়বেন, আপনার বাচ্চাকে পড়তে শুনা, শক্ত শব্দগুলি পড়তে সাহায্য করা এবং তার প্রচেষ্টার প্রশংসা করা — এই সবগুলি করলে তাদের আত্মবিশ্বাস খুব বেড়ে যায়। ভুলে যাবন না তারা কিন্তু তবুও আপনার পড়া শুনতে ও গল্পবলা শুনতে আনন্দ পাবে।

## স্কুল কি ভাবে সাহায্য করতে পারে

অনেক স্কুলেরই বাড়ী/স্কুল পড়ার পরিকল্পনা আছে যাতে বাচ্চার পড়ার বিষয়ে আরও সাহায্য হয়। অনেক সময় এগুলিকে বলে PACT - Parents (পিতামাতারা), Children (বাচ্চারা) and (এবং) Teachers (শিক্ষকরা)। স্কুল বাচ্চাদের সাথে একটি করে বই বাড়ীতে একসাথে পড়ার জন্য পাঠিয়ে দেয়, সেইসাথে একটি রেকর্ড কার্ডও দিয়ে দেয়, যাতে পিতামাতা ও শিক্ষকরা বাচ্চার উন্নতির ব্যাপারে অবহিত থাকতে পারেন।

বাবামায়েরা ক্লাসরুমে একটি প্রয়োজনীয় অংশ নিতে পারেন। অধিকাংশ স্কুলই তাঁদের সাহায্যকে স্বাগত জানায়। আপনি বাচ্চাদের বই পড়া শুনে অথবা তাদের কাছে জোরে বই পড়ে সাহায্য করতে পারেন। কিংবা আপনার নিজের ভাষায় একটি গল্পও পড়ে শোনাতে পারেন। ক্লাসে সাহায্য করা আপনার নিজের এবং বাচ্চাদের এক আনন্দদায়ক অভিজ্ঞতা হতে পারে। আপনার বাচ্চার শিক্ষকের কাছে আরও খবরের জন্য যোগাযোগ করুন।

## HOW SCHOOLS CAN HELP

Many schools have home/school reading schemes to support children's reading. These are sometimes called **PACT** - Parents, Children and Teachers. Schools will lend children books to share at home and send home a record card to keep both parents and teachers in touch over the child's progress.

Parents can play an important part in the classroom and most schools welcome their support. You can help by listening to children read or by reading aloud to them. Perhaps you can read a story for the class in your own language. Helping in the classroom can be an enjoyable experience for you and all the children. Ask your child's teacher for more information.

আপনি যদি ভাবেন বাচ্চাদের বই খুব একঘেয়ে বা বিরক্তিকর . . .
তাহলে আর একবার চিন্তা করে দেখুন . . .

সবরকম বয়স, মেজাজ ও আগ্রহের উপযুক্ত বই আছে।

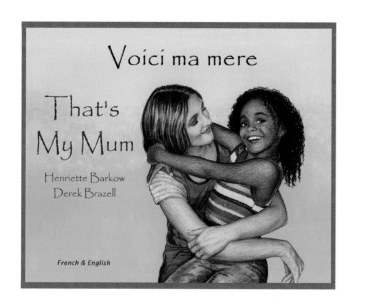

# IF YOU THINK CHILDREN'S BOOKS ARE BORING ...

## THINK AGAIN ...

There are books to suit every age, every
mood and every interest.

11

## SPEAKING MORE THAN ONE LANGUAGE

If your home language is not English, you can read and speak to your child in your own language. Speaking more than one language is a great advantage and will not make it harder for your child to learn English. It is in fact an important part of their language development. Research has shown that a good foundation in the home language is essential for progress at school.

However if your child is learning to read in a language that is not their home language, it is important for you to give them extra help. You can read and talk about books and stories in your home language as well as in English. You can use dual language books, where the story is told in both languages. It may be helpful too for children to listen to story tapes in English and in their home language whilst looking at pictures in a book.

You can usually borrow dual language books and story tapes from your local library or from your child's school.

## একটির বেশী ভাষায় কথা বলতে পারা

যদি আপনার বাড়ীর ভাষা ইংরেজী না হয়, বাচ্চার সাথে আপনার নিজের ভাষায় পড়বেন ও কথা বলবেন। একটির বেশী ভাষায় কথা বলতে পারা খুবই সুবিধাজনক এবং আপনার বাচ্চার ইংরেজী শিখতেও সহজ হয়ে যাবে। ভাষাশিক্ষার উন্নতির পথে এটি একটি প্রয়োজনীয় অংশ। গবেষণায় দেখা গিয়েছে যে নিজেদের ভাষায় যার ভালো জ্ঞান হয়ে গিয়েছে স্কুলে তার উন্নতির পক্ষে খুবই সহায়ক।

যাই হোক আপনার বাচ্চা পড়তে শিখছে যে ভাষায় যেটা তার বাড়ীর ভাষা নয় — তাকে আরও বেশী সাহায্য করতে হবে আপনাকে। আপনি আপনার বাড়ীর ভাষায় এবং ইংরেজীতেও বই পড়ে ও সে সম্বন্ধে কথা বলে যেতে পারেন। দুইটি ভাষায় একসাথে যে সব বই লেখা হয়েছে সেগুলিও ব্যবহার করতে পারেন। বইএর ছবি দেখতে দেখতে বাচ্চারা ঐ গল্পগুলি ইংরেজীতে ও তাদের মাতৃভাষায় টেপেতেও শুনতে পারে।

দুই ভাষায় লেখা বইগুলি স্থানীয় লাইব্রেরী থেকে অথবা স্কুল থেকেও চেয়ে নিতে পারেন।

# YOU DON'T HAVE TO STICK TO STORY BOOKS

Children will enjoy reading comics, information books, puzzle books and poems as well as stories. Share their interests by talking about what they are reading.

If they enjoy television or films, you can show them how to look up the programmes they want to watch in the newspaper or TV magazines. Look out too for captions on television or for activity books which relate to films or television programmes. Books that have been serialised or made into films can also be useful.

শুধুমাত্র গল্পের বইই যে পড়তে হবে তা নয়

বাচ্চারা হাসির বই, তথ্য বা ঘটনামূলক বই, পাজ্‌ল্ বই, কবিতা এবং গল্প — সবরকমের বই পড়ে আনন্দ পাবে। তারা কী পড়ছে সে সম্বন্ধে কথা বলে বলে তাদের আনন্দে অংশ নিতে হবে।

যদি তারা টেলিভিশন অথবা কোনো ছায়াছবি দেখতে ভালবাসে, টিভির পত্রিকা অথবা খবরের কাগজ দেখে কোন্ প্রোগ্রাম তারা দেখতে চায় সেটা কি করে বার করতে হয় তা তাদের শেখানো যেতে পারে। টেলিভিশনে শিরোনাম অথবা এ্যাক্টিভিটি বইএর দিকে খুব মনোযোগের সাথে নজর রাখবেন যাদের সাথে চলচ্চিত্র ও টেলিভিশন প্রোগ্রামের যোগ আছে। যে সব বইগুলিকে ধারাবাহিক ভাবে দেখানো হয় অথবা সিনেমা করা হয়েছে সেগুলিকে ব্যবহার করা যেতে পারে।

## কম্‌পিউটার, সিডি রোম্‌, ইন্টারনেট্‌ ...

উপরের সবগুলিই আপনার সন্তানের সাথে অংশ নিয়ে তাকে পড়তে সাহায্য করতে পারেন। আপনার নিজের কম্‌পিউটার থাকতেই হবে এমন নয়। বেশীর ভাগ বড় লাইব্রেরীতেই কম্‌পিউটার আছে। সফ্‌ট্‌ওয়্যারও আছে – যা বাচ্চারা ব্যবহার করতে পারে। ছোট বাচ্চাদের জন্য সিডি রোমেতে ক্রিয়া-প্রতিক্রিয়া ঘটানো গল্প আছে। বড় বাচ্চাদের জন্য অনেক বিষয়ের উপর তথ্যমূলক সিডি রোম্‌ আছে।

## COMPUTERS, CD ROMS, INTERNET ...

You can share all these with your child and use them to help with reading. You don't have to have your own computer. Most larger libraries have computers and software that children can use. For younger children there are interactive stories on CD Rom and for older children there are many topic based information CD Roms.

## এগিয়ে যাওয়া

আপনার সন্তান যখন সহজ বইগুলি একলা নিজে নিজে পড়তে পারবে তখন হয়ত সে ছবিওয়ালা বইএর থেকে বড় ধরণের গল্প, যাতে পরিচ্ছেদ আছে — এমন ধরণের বইই ভালবাসবে। যাতে বই পড়ায় তারা আনন্দ পায় সে কথা মনে রেখে, পড়তে গিয়ে যেন তারা ক্লান্ত না হয়ে পড়ে এমনটা চিন্তা করে — দিনে একটি করে পরিচ্ছেদ পড়ার চেষ্টা করবেন অথবা দুজনে একটি করে অধ্যায় পড়ে বড় ভাই বা বোনকে যোগদান করিয়ে বাকীটা আপনারা একসাথে সকলে ভাগ করে করে পড়বার চেষ্টা করবেন।

Once your child can read a simple text alone they will probably be ready to make the jump from reading picture books to reading longer stories with chapters and only a few illustrations. To make sure they still enjoy reading and don't get tired as they read, try reading just a chapter a day, or reading a chapter each, or ask an older brother or sister to join in and read with you.

## MOVING ON

আপনার সন্তান যতই আত্মবিশ্বাসী হতে থাকে লক্ষ্য করে থাকবেন যে জোরে পড়া ততই বাড়তে থাকে — শব্দগুলি প্রায় যেন তার মুখ দিয়ে খুবই তাড়াতাড়ি বার হয়ে আসতে চায়। এটা খুবই ভালো লক্ষণ যে আপনার সন্তান মনে মনে পড়ার জন্য এখন তৈরী হয়েছে। যাই হোক যে বইগুলি সে পড়ছে সেগুলির বিষয়ে কথা বলে অনবরত আপনার আগ্রহ দেখিয়ে যাবেন এবং তাকে বলুন যেন সে তার ভাললাগা অংশটি পড়ে শোনায়। এবং এইসময়েও যেন তাকে বই পড়ে শোনাবার সুযোগটি ছাড়বেন না — অনেক গল্প ও কবিতা আছে যেগুলি শুনলে তারা খুব আনন্দ পাবে।

As your child becomes more confident, you may notice that reading aloud speeds up - almost as if the words can't come out fast enough. This is a good sign that your child is ready to read silently. However continue to show an interest by talking about the books she is reading and suggest that she read you her favourite passage. And even at this stage, don't miss an opportunity to read to your child - there are plenty of stories and poems they will enjoy listening to.

## লাইব্রেরীগুলি কিভাবে সাহায্য করতে পারে

লাইব্রেরী হল আপনার ও আপনার সন্তানের বইএর জন্য এক বড় উৎস। যে কোনো বয়সেই যোগ দেওয়া যায়।  প্রতি লাইব্রেরীতেই শিশুবিভাগ আছে — যেখানে শিশুদের জন্য বই, ছবিওয়ালা বই, ছড়ার বই, বর্ণমালার বই, রূপকথার বই, ছোট গল্প, উপন্যাস এবং তথ্যমূলক বই সবরকমই পাওয়া যায়। স্থানীয় লাইব্রেরীতে গল্পগুলি ভিডিও অথবা কাসেটে পাবেন, যে সময়ে আপনি বাচ্চাকে পড়ে শোনাতে পারছেন না সেই সময়ের জন্য এইগুলি খুবই উপযুক্ত।

Libraries are a great source of books for you and  your child and nobody is ever too young to join. Every library has a section for children where you will find books for babies, picture books, nursery rhymes, alphabet books, fairy tales, short stories, novels and information books. Your local library will also have stories on video or cassette which may be ideal for times when you cannot read to your child.

# HOW LIBRARIES CAN HELP

একসাথে গিয়ে বই পছন্দ করার অভ্যাস করবেন। আপনার সন্তানকে তার নিজের বই পছন্দ করতে দিন এবং সেই সাথে তাকে নূতন লেখক ও নূতন বই বাছবার জন্য উৎসাহ দিন। দুজনারই যে বইগুলি ভালো লাগবে সেগুলি খুঁজে বার করার চেষ্টা করুন। অনেক লাইব্রেরীতে ছোট বাচ্চাদের জন্য 'গল্প বলার সময়' আছে। 'গ্রীষ্মের ছুটির সময়কার ক্লাব' আছে বড় বাচ্চাদের জন্য। স্থানীয় লাইব্রেরীতে আরও খবরের জন্য যোগাযোগ করুন।

Make a habit of choosing books together at the library. Let your child choose their own books and also encourage them to try new authors or new books. Find books that you both enjoy sharing.

Many libraries have story-times for young children and run summer holiday reading clubs for older children. Ask at your local library for more information.

# READING TOGETHER - SOME USEFUL TIPS

· Find somewhere without too many distractions and get comfortable!

· Before starting a book together; talk about the picture on the cover, the person who wrote the book and what it might be about.

· As you read, stop and talk about the story and pictures, discuss what has happened and what might happen next.
Talking like this will help your child to understand and enjoy the book more.

· If your child is reading and gets stuck on a word, help them to have a go.

Give clues such as, *"Can you guess what would make sense? Can you guess what comes next? Does the picture tell us anything? Does the sound of the first letter help?"*
If these do not help, don't be impatient, just read the word yourself and carry on. If you have to read lots of words, then the book is probably too difficult for your child. Finish reading the story yourself, and try an easier book next time.

## এক সাথে পড়া — কিছু প্রয়োজনীয় নির্দেশ

- একটি শান্তিপূর্ণ নীরব ও আরামের জায়গা বেছে নিন।

- বইটা একসাথে শুরু করার আগে — বইটির মলাটের ছবি, বইটির লেখক ও বিষয়বস্তুটি কী হতে পারে — এই সম্বন্ধে কথা বলুন।

- পড়ার সময় মাঝে মাঝে থামবেন, গল্পটির ও ছবিগুলি সম্বন্ধে কথা বলুন, কী এ পর্য্যন্ত হয়েছে এবং কী ঘটনা এর পর ঘটতে পারে সে সম্বন্ধে আলোচনা করুন।
এইভাবে আলোচনায় বাচ্চার বইটিকে ভালো করে বুঝতে ও আনন্দ পেতে সাহায্য করবে।

- পড়তে পড়তে যদি সে একটি শব্দে আটকে যায় তাকে নিজেকে আগে চেষ্টা করতে দিন।

তাকে কয়েকটি সূত্র ধরিয়ে দিন যেমন — "এর মানেটা কী হতে পারে অনুমান করত? এরপর কী হতে পারে ভাবত? ছবিটি আমাদের কিছু বলছে না কি? শব্দটির প্রথম অক্ষরটি যদি বলি কিছু সাহায্য হবে কি?"

যদি এতেও সাহায্য না হয়, ধৈর্য্য হারাবেন না। শব্দটি আপনিই পড়ে দিন এবং পড়ে যেতে থাকুন। যদি আপনাকেই বহু শব্দ পড়ে দিতে হয় তাহলে বইটি হয়ত বাচ্চাটির পক্ষে খুবই কঠিন। বইটি আপনিই পড়ে শেষ করে দিন ও পরের বারে আর একটু সহজ বই বেছে নেবেন।

# READING TOGETHER - SOME USEFUL TIPS

· Children must not be afraid of making mistakes. Try not to interrupt immediately if they get a word wrong. Only correct them or help them to correct themselves if they are not making sense of what they are reading. If they read *mum* instead of *mummy*, don't worry, they have made sense of the words and understood their meaning; if they read *horse* instead of *house*, they may not have understood the meaning of the words and will probably need your help. If they are struggling, don't get impatient - take over and read with them.

· When you have finished the book, talk about the story together. Find out how much they have understood. Be careful not to turn it into a test. Let your child ask questions as well as answer them; tell them what you thought about the story.

বাচ্চারা ভুল করার জন্য যেন ভয় না পায়। একটি শব্দ ভুল করলে সাথে সাথে যেন বাধা দেবেন না। আপনি ঠিক করে দেবেন বা তাদের নিজেদেরকে সংশোধন করতে সাহায্য করবেন তখনই যে বিষয়টা তারা পড়ছে সেটির অর্থ যদি তারা না বুঝে থাকে। যদি "মামি"-র জায়গায় "মাম" পড়ে — চিন্তা করবেন না, তারা শব্দগুলির মানেটা ঠিকই বুঝেছে, যদি "হাউস"-এর জায়গায় "হর্স" পড়ে তখন বুঝতে হবে যে শব্দসমষ্টির মানেগুলি তারা হয়ত ঠিক মত বোঝেনি, হয়ত আপনার সাহায্যের প্রয়োজন। যদি দেখেন যে সে খুব চেষ্টা করছে কিন্তু পারছে না, বইটি নিয়ে নিন ও পড়ে দিন। ধৈর্য্য হারাবেন না।

এক সাথে পড়া — কিছু প্রয়োজনীয় নির্দেশ

• বইটি পড়া শেষ হলে গল্পটির বিষয়ে একসাথে আলোচনা করুন। কতটা সে বুঝতে পেরেছে তা জানতে চেষ্টা করুন। খুব সাবধান, সে যেন মনে না করে যে তাকে পরীক্ষা করছেন। তাকে প্রশ্ন জিজ্ঞাসা করতে ও উত্তর দেবার সুযোগ দেবেন, বইটির বিষয়ে আপনার কী ধারণা তাও তাকে জানাবেন।

# READING TOGETHER
## - SOME USEFUL TIPS

- Children thrive on praise and encouragement and make faster progress if they feel confident. Always praise them when they have read well, especially if they have corrected their own mistakes or got it right after you have given them a clue.

- Children learn by example and imitation - if they never see you pick up a book and read for sheer enjoyment, why should they? Seeing you read will make them want to read, too.

এক সাথে পড়া — কিছু প্রয়োজনীয় নির্দেশ

- পশংসা ও উৎসাহ পেলে বাচ্চারা খুব তাড়াতাড়ি উন্নতি লাভ করে। আত্মবিশ্বাস হলে আরও তাড়াতাড়ি উন্নতি করে। ভালভাবে পড়তে পারলে প্রশংসা করবেন সব সময়। বিশেষ করে নিজের ভুল যখন নিজে সংশোধন করতে পারবে অথবা আপনি সূত্র ধরিয়ে দেবার পর যদি নিজেই ঠিক করে নিতে পারে।

- বাচ্চারা দৃষ্টান্ত দ্বারা এবং নকল করে শেখে। আপনাকে যদি তারা কখনই বই ধরতে ও শুধুমাত্র আনন্দের জন্য বই পড়তে না দেখে তাহলে তারাই বা তা কেন করবে? আপনাকে বই পড়তে দেখে তারাও বই পড়তে চাইবে।